DISCARDED

IL ÉTAIT UNE FOIS...

Vois-tu ce que je vois?

Il était une fois...

CHERCHE ET TU TROUVERAS!

Walter Wick

Texte français d'Hélène Pilotto

Éditions
SCHOLASTIC

Conception graphique :

Walter Wick et David Saylor

Édition publiée par les Éditions Scholastic,

604, rue King Ouest, Toronto

(Ontario) M5V 1E1.

5 4 3 2 1   Imprimé à Singapour   07 08 09 10 11

À MELANIE ET LOUISE WORD

Catalogage avant publication de Bibliothèque et Archives Canada

Wick, Walter
Vois-tu ce que je vois? Il était une fois-- / Walter Wick;
texte français d'Hélène Pilotto.

Traduction de : Can you see what I see? Once upon a time.
ISBN 978-0-545-99812-3

1. Casse-tête--Ouvrages pour la jeunesse. 2. Livres-jeux.
I. Pilotto, Hélène II. Titre. III. Titre : Il était une fois--.

GV1507.P47W513414 2007   j793.73   C2007-900042-8

TABLE DES MATIÈRES

Vois-tu ce que je vois?
Une scie, un marteau,
une grange, cinq oiseaux,
deux pelles, une hachette,
une belle paire
de bottes vertes,
un arrosoir,
une poêle à frire,
un lapin
qui semble sourire,
ensuite six épis de maïs,
une pelote rouge
écrevisse,
pour finir une aiguille,
une souris mécanique
et un cochon qui roupille
dans sa maisonnette
en brique!

Vois-tu ce que je vois?

Un peigne, trois fourchettes,

deux pantoufles,

une allumette,

une punaise et un chat,

une pince à linge en bois,

une lune, un poisson,

un cavalier et son canasson,

une cuillère,

deux grenouilles

et un dé à coudre aussi,

un pichet pour le cidre,

un rouleau à pâtisserie,

une fillette en rouge et blanc

qui pousse la porte

doucement

et un loup très méchant

dans le lit de sa mère-grand!

Vois-tu ce que je vois?

Un loup en train de hurler,

deux vers à déguster,

un balai, un gland,

un ours sucré et souriant,

une hache, un hibou,

un cerf, un clou,

une framboise toute belle,

une colombe, une pelle,

un escargot,

une chauve-souris,

un rouleau à pâtisserie

et une vieille sorcière

qui dit :

« Entrez, entrez,

mes chers petits! »

Vois-tu ce que je vois?
Une baleine, un pélican,
trois bateaux, un éléphant,
une grenouille,
un kangourou,
une tortue qui étire son cou,
quatre singes bien dispersés,
un lézard
à la queue enroulée,
enfin une couronne ornée
de quelques porte-bonheur
et la Bête allongée
près de l'élue
de son cœur.

Vois-tu ce que je vois?
Une tortue, trois poissons,
deux écureuils, un bouton,
un lapin qui ne bouge pas,
une libellule,
une bobine en bois,
une patte d'ours
sur du papier,
une chauve-souris gravée,
la calotte d'un gland,
un pot de miel
pour les gourmands,
un chaudron pour cuisiner,
un chapeau
pour aller pêcher
et une fillette
aux cheveux blonds
qui dort à poings fermés
dans le lit d'un ourson!

Vois-tu ce que je vois?

L'ombre d'un dragon,

un éventail doré,

un soulier rose à talon,

sept coupes en or

éparpillées,

un rouet en retrait

et des bottes

de sept lieues,

une sorcière taillée

dans du bois noueux,

un cheval monté

par un prince charmant

et une princesse

qui dort depuis

trop longtemps!

Vois-tu ce que je vois?

Une assiette blanche et bleue,

un petit requin-marteau,

un poisson dont la queue

a la forme de ciseaux,

sept hippocampes

qui veillent,

un bateau

dans une bouteille,

un homard qui attend,

une anguille

qui montre les dents,

une ancre, un peigne vert,

onze jolies étoiles de mer,

une canne à pêche oubliée,

un vieux canon tout rouillé

et un château

au fond de la mer

où vit une sirène

légendaire!

Vois-tu ce que je vois?
Une horloge
qui marque minuit,
une cloche
et un rat tout gris,
un affreux lutin
au teint vert,
dix joueurs
de tambours divers,
une boîte à surprise en haut
et en bas, une oie
coiffée d'un chapeau,
puis un âne et deux chiens,
cinq batraciens musiciens,
enfin un grand méchant loup
et un soldat au garde-à-vous
qui couve tendrement
des yeux
celle dont il est amoureux.

Vois-tu ce que je vois?
Une cloche, quatre lapins,
une belle grosse pomme
de pin,
un renard, une poire,
un ours
et sept oiseaux noirs,
une trompette, un archer,
un dragon et un panier,
un moulin à vent, un puits,
le carrosse du marquis,
un cerf, un flambeau,
une plume blanche
sur un chapeau,
un ogre grimaçant
et un chat très content!

Vois-tu ce que je vois?
Un berceau, une licorne,
une mouche,
une couronne,
un soleil
qui a la tête en bas,
une abeille
et un cadenas,
un éventail, puis une clé,
un éléphant,
sept araignées,
la silhouette
d'un lutin à l'air fâché
et le mot Rumpelstiltskin
écrit en beau fil doré!

Vois-tu ce que je vois?

Un carrosse en potiron,

un lièvre, un papillon,

un hibou, un cœur brisé,

une armure de chevalier,

une lune en croissant,

un ourson pour les enfants,

un musicien au repos,

un rat coiffé

d'un chapeau,

un prince en veston bleu

qui court après sa belle

et l'objet très précieux

que Cendrillon

a laissé derrière elle!

Vois-tu ce que je vois?

Un lutin au teint vert,

deux vilaines sorcières,

une souris à l'air embêté,

un prince

en haut d'un escalier,

un four en brique,

une sirène magnifique,

deux loups différents,

quatre ours, un gland,

trois chiens, cinq poissons,

deux grenouilles, un dragon,

une maison

ornée de bonbons

et un cochon

en voie de guérison.

Ils sont tous présents

dans ce lieu étonnant

où l'on vit heureux

jusqu'à la fin des temps!

Pour adapter ces onze contes classiques au jeu des photos-mystères, j'ai d'abord choisi dans chacun d'eux un moment-clé et réalisé une esquisse mettant en valeur les personnages et les différents éléments de l'histoire. Puis, j'ai travaillé à transformer mes dessins en maquettes à trois dimensions. Pour ce faire, je me suis entouré d'une montagne de matériaux divers incluant du papier, de la peinture, du plastique, de l'argile, du tissu, du bois et des jouets, ainsi que d'une équipe de collaborateurs et d'artistes dévoués. Enfin, à l'aide d'un appareil photo, de projecteurs et de quelques tours de passe-passe numériques, j'ai transposé les maquettes en images à deux dimensions.

Pendant le montage de chacune des scènes, je réfléchissais aux mots et aux phrases qui évoqueraient le mieux la trame du conte, puis juste avant de prendre la photo, je rédigeais en vers la liste des objets à trouver. Tout cela m'a pris six mois.

Remerciements

J'ai eu l'immense privilège de travailler avec une équipe de collaborateurs et d'artistes pigistes dévoués qui ont rendu possible la publication de ce livre. Je leur en suis profondément reconnaissant. Je tiens à remercier Dan Helt, mon directeur de studio de longue date, qui a supervisé le travail dans l'atelier, construit des maquettes, arrangé les scènes et fourni un soutien professionnel, tant en studio que dans le laboratoire informatique ou à l'étape de la postproduction. J'aimerais remercier Kim Wildey, la responsable des accessoires, de s'être occupée patiemment de ces milliers d'objets, ainsi que d'avoir apporté une aide inestimable en studio par ses talents artistiques nombreux et variés.

J'adresse un merci tout particulier aux artistes pigistes. Merci à Randy Gilman qui a fabriqué les châteaux de « La Belle au bois dormant » et du « Petit Soldat de plomb », et qui a su transformer de la mousse de polyuréthane en arbres, en paysages, en cabanes en rondins, en meubles, en murs de pierres, en cheminées, en toits, en rouets et en quantité d'autres détails qu'on peut trouver dans les scènes de « Hansel et Gretel », des « Trois Petits Cochons », du « Petit Chaperon rouge », de « Boucle d'or et les Trois Ours », du « Chat botté », de « Rumpelstiltskin » et de « La Belle et la Bête ». Merci à Michael Lokensgaard qui a réalisé les châteaux de « La Petite Sirène » et de « Cendrillon », peint l'arrière-plan de « La Belle au bois dormant » et utilisé des polymères et de la peinture pour créer plusieurs accessoires et la plupart des personnages principaux du livre, notamment les cochons des « Trois Petits Cochons », le loup du « Petit Chaperon rouge », le chat, la souris et le lion du « Chat botté », ainsi que les « vraies » fontaines en forme de canard de « La Belle et la Bête ». Merci à Lynne Steincamp qui a confectionné les costumes, les perruques et la literie de « La Belle au bois dormant », de « Boucle d'or et les Trois Ours », de « La Belle et la Bête », du « Petit Chaperon rouge » et du « Chat botté ». Merci à Michael Galvin qui a construit et sculpté de nombreux détails dans les scènes de « Boucle d'or et les Trois Ours », du « Chat botté », de « Rumpelstiltskin », du « Petit Soldat de plomb » et de « La Belle et la Bête ». Merci à Eric Zafaran et à Susan Hood qui ont fourni les références historiques. Merci à Sharique Ansari de Digicon Imaging Inc. pour son superbe travail de séparation des couleurs. Enfin, je voudrais remercier du fond du cœur mon épouse Linda pour son infinie sagesse artistique et son soutien indéfectible.

Je tiens aussi à remercier Grace Maccarone et Ken Geist pour m'avoir encouragé à plonger dans l'univers des contes de fées, ainsi que David Saylor, Stephen Hughes et Scott Myles pour leur excellente contribution à l'aspect visuel et esthétique de ce livre.
— Walter Wick

Toutes les scènes ont été conçues, montées, photographiées et retouchées par procédé numérique, par l'auteur. Randy Gilman s'est chargé de monter les toiles de fond et Dan Helt les a photographiées. La peinture qui orne les pages de garde ainsi que l'arrière-plan de « La Belle au bois dormant » est l'œuvre de Michael Lokensgaard.

Walter Wick est le photographe de la collection *C'est moi l'espion* dont plus de 29 millions d'exemplaires ont été vendus. Il est l'auteur et le photographe de plusieurs ouvrages pour lesquels il a remporté de nombreux prix prestigieux. C'est lui qui a inventé les photos-mystères pour le magazine *Games*. Il a aussi réalisé des photos pour des couvertures de livres et de magazines. Walter Wick est diplômé du Paier College of Art; il habite au Connecticut avec son épouse, Linda.

On trouvera plus de renseignements à propos de ce livre et des autres ouvrages de Walter Wick sur le site www.walterwick.com.